KB178098

윤동주 시인의 언덕

정민기 시집

시인의 말

북극성의 별들이
하루에 한 바퀴씩 레코드판을 돌리며
들려주는 흘러간 옛 빛처럼
독자분들의 눈과 귀에 쏙쏙 박히는
그런 빛을 발하는 시를
오늘도, 내일도 쓰고 싶다.

2023년 12월
정민기

차례

시인의 말

구름

낮잠 자다 깨어 일어나 보니
백지로 떠 있어
뭔가 끄적거리기는 해야 하는데
가는 늦가을에 편지라도 쓸까
아직 귓가에 속삭이지 않는 별 떼
가끔 비로 낙하하는 구름
오늘의 아침은 빈 소리로 떠난 지 오래
기적 한 번이라도 울리지 않았다
카페 음악 속에 간절한 흐름이 있다
창밖 구름도 닿는 대로 흘러간다
눈사람이 눈보라 속으로 걸어가고
꽃병과 시집 한 권이 놓인 식탁
저녁 만찬은 이것이 전부란 말인가
향기는 뒤도 안 돌아보고 멀어져
나는 한 편의 시를 이루는
글자가 되어 책 속에 드러눕는다
구름아, 너는 아직 가지 말고
아픈 마음 곁에 잠시 머무르고 있어라

저녁노을에 빠져 허우적거리다

밤의 어둠을 이루는 흑인종들이
컴퍼스로 그린 동그라미에 둘러앉아
다 꺼져가는 모닥불을 지피고 있다
부메랑처럼 던져버린 낮달은
불곰 배 같은 하늘 정중앙에 박혀
바람이 불어도 절대 떨어지지 않는다
탬버린을 흔들면서 훌라춤을 추는지
일어서서 허리를 한꺼번에 흔든다
드디어 어둠의 눈빛들이 반짝거리고
흑인종들은 모닥불에 익힌 고기를
게걸스럽게 뜯어 먹느라 시끄러운데
빛나는 눈썹을 휘날리는 어둠 속
시조새가 되어 날아오르는 기억들
어제 함께 있던 사람들이 다 생각나고
흑인종은 배꼽을 보이면서 히죽히죽
입으로 죽을 끓이느라 야단법석이다
행진하던 달이 첫닭의 부리에서
울음소리를 한참 동안 꺼내고 있다
저녁노을에 빠져 허우적거리다
겨우 빠져나와 잠시 한숨을 돌린다

눈물은 힘이 되지 않는다

눈물은 힘이 되지 않는다
애석하게도,
블랙커피 한 잔 들고 노을이 지는 걸 본다
창문틀에 걸터앉은 해의 생각
신년은 묵은해보다는 최고가 아니다
불법으로 체류하는 바람이
빈둥빈둥 낙엽을 몰고 어디론가 갈 때
누군가가 흘린 슬픔이 마르고 있다
낯짝도 두꺼워져야 농짝으로나 쓸 수가 있지
친애하는 국민 여러분, 안 그렇습니까?
살갗에 페인트를 칠하던 국가는 현재 징검다리를
조심조심 건너가고 있다
12월의 사악한 바람이 옆 골목에서 불어오는데
도넛과 함께 마시는 다 식은 블랙
간밤 부드러운 달이 입에서 살살 녹았다
이래도 두부처럼 물컹물컹한 눈동자로
휘둥그레져 보고만 있을 겁니까?
눈물은 절대 힘이 될 수 없습니다
사랑 따윈 날씨와 같은 예보에 불과하다
체감 온도가 눈물처럼 뚝, 떨어지고

쌍절곤

머리가 두 개인 까닭에 언제 어디서나
같은 곳에서 만나 인사를 나누었다
악수는 하지 않았다
얻은 것도 없이 우리는 헤어졌지만
그 이후로 단 한 번도 생각하지 않는다
엉뚱한 곳에서 하숙 생활하고 있는
지렁이 같은 꿈틀거리는 삶
잠깐, 잊고 싶었다
새들의 메아리를 산봉우리가 가로막아
지나가지 못한다 두 개의 머리가
토네이도처럼 소용돌이친다
아무래도 참을 수 없으니 더 뜨거워져야겠다
꽃이 지더라도 기어이 피어나고 싶다
그것이 짙게 화장한 여자의 마음
입술이 단풍잎처럼 이글이글 타오르고 있다
기억하는 사람이 많지 않다
날아갈 철새 떼도 없이 저수지가 내려앉아
물빛에 두 개의 머리가
기억 속에 흔들리고 있다 흐려진다

지진

하데스*가 어깨를 들썩거릴 때마다
땅의 골격이 흔들린다
그때마다 온몸이 쑤신 땅이 비명을 지른다
한 사람이
내 눈동자에 들어온 적이 있는데
너무 갑작스러워 휘둥그레진
눈동자를 나는 아직 잊을 수 없다
사람은 생각하는 동물이기에
언제나 그 사람이
머릿속을 맴돌며 떠나지 않는다
대륙을 벗어나면 우리는 살아가지 못한다
눈물에 젖은 씨앗이 땅속에서 꺼내주는
생각을 천천히 오랫동안 간직해야 한다
낙엽은 쓸쓸해서 바스락거리는데
개미에게는 땅이 흔들릴 조짐이기에
서둘러 보따리를 싼다 아침부터 저녁까지
햇살을 노처럼 젓는 해가 자꾸만
이글거리고 있다

* 지하 세계의 신.

동백 피다

동백나무가 통꽃으로 배를 띄워
뱃놀이한다는 소리를 듣고
무작정 길을 떠나 찾아왔습니다
그런데 배는 눈 씻고 보아도
단 한 척도 보이지 않아
닭 쫓던 개 지붕만 쳐다보듯
그 자리에 그대로 서 있었습니다
동백나무가 피눈물을 흘린다는 것을
그때 처음 알게 되었고
적지 않은 충격을 받았습니다
알아서 첫눈이 오기도 전에
저 혼자 알아서 철들고 말았습니다
동백나무에 저의 피눈물도
슬그머니 한 획으로 찍어 놓고
작별 없이 그냥 돌아오고 싶었지만
도저히 발이 떨어지지 않았습니다
동박새 한 마리처럼 잠시 머물며
두둥실 구름을 조각해 놓았습니다
겨울 근처에서 추적추적 비 한 잔
거나하게 마시고 싶었습니다

내 안에 내가 아닌 그대가 있다는 거
그대는 아직 모르고 있으니까요

전화기는 수화기를 자르지 못하네

전화기는 탯줄 같은 수화기를
자르지 못하네
사랑을 자르면 다시는 자라나지 않는다는
미신을 믿고 있네
저녁은 서둘러 노을을 지피고
아랫목은 따끈따끈한 군고구마가 되네
으슥한 시골길을 달려
슈퍼에서 꼬깔콘을 사 먹는 아이들
손에는 어느새 손가락이 하나둘
사라지네
탯줄을 자른 흔적만이
배꼽으로 우물처럼 덩그러니 남아 있네
산모랑 연결된 방금 태어난 아기를
귀에 대고
아직 따끈따끈한 출산 소식을 알리네

겨울이라는 책

책 한 권을 나비 날개처럼
나풀나풀 펼쳐서 찬찬히 읽고 있다
시리디시린 글자들이
간절하게도 바다처럼 서늘하다
들려오는 갈매기 울음소리는
소문처럼 물결처럼 퍼져 나가고 있다
먼발치에서 차가운 바람이 불어
소리 없이 상처가 아물고
기억은 결국 터져 울컥 쏟아진다
오래되어 앙상해진 책 한 권
페이지 사이에 단풍잎을 끼우고
혼자 낙엽이 되어 잠시 바스락거린다
마른 나뭇가지가 부러지는 소리
빵 부스러기가 떨어지는 낱장마다
깃발처럼 펄럭거리고 있다
구름의 각질이 비가 되어 떨어진다
바다를 넘기는 바람 소리가 줄어드는
모랫길을 걸어가고 있다

달이 떴다

달이 떴다,
너의 얼굴 같은 둥근달이 떴다
덩달아 떠오른 생각
단풍잎 한 장 주워 엽서를 쓴다
날인하고 나서 일어서는 순간
밤바람이 파장을 일으킨다
어쩌지요? 인생은 푸르기만 한데
현기증이 날 정도로
보고 싶은 마음이 몰려오고 있다
달이 떴다, 짧은 해가 지고
속눈썹 같았던 달이 어느새 함박웃음 짓는다
그래요, 먼 어둠이 가까이 밀려오고
이내 철썩거리는 사랑에 흠뻑 젖어
참 좋았어요, 그대를 만나고 나서
지금은 별일 없나요?
꽃향기가 떨어지면 나비가 되어
그대에게 날아가고 싶다
달이 떴다,
너와 내가 처음 만났던 그때
꿈만 같았던 그 황홀한 빛을 담아

겨울 바닷가

파도가 부려 놓은 물거품을 살짝 걷어 내고
물컹물컹 짖기만 하는
이 푸른 두부를 반으로 잘라 먹으려고 한다
짭조름한 인생은 금세 삼십 대 중반이라는
수평선을 레일처럼 지나가고 있다
배낭만 젊어지고 도보로 여행하는 사람은
거리에 매우 흔해서
낙엽처럼 바짓가랑이를 붙잡고
고무줄처럼 길게 늘어지는 사람마다
마음을 순식간에 홀린다
겨울 창문처럼 외풍이 센 바닷가를 거닐면
갈매기처럼 고단한 삶을 끼룩끼룩 던지고 있다
찬 바람이 부는 반대쪽으로 무작정 달린다
파도가 바위를 철썩 때리자
물거품이 바위 머리에 걸터앉고 있다
불을 끄듯 서서히 해가 지는 저녁
부둣가에 누군가 흘려 놓은 작은 선술집
빛바랜 먹구름이 지렁이처럼 꿈틀거리는데
창가에 앉아
낮달을 기울이면서 한동안 허무함을 달래고 있다

늦가을이 산란한 초겨울

산란이 가까워져 온 늦가을이
울긋불긋 얼굴 물들어 오르더니
금세 초겨울을 낳아놓았다
시시때때로 머리를 풀어 헤치고
건달처럼 불어오는 바람이 차
태어난 해에 돌아가신
아배 생각 못 하고 쩔쩔매고 있다
국화 꽃잎에 햇살을 대고 킁킁거리는
해가 소박하게 따사로운 오후
바람은 때론 살가운 부처님처럼
온화한 미소를 보이면서 자리를 비웠다
간헐적으로 화가 머리끝까지 오른
바람의 욱하는 성질을 버릴 수 없을까
시간이 흘러 어느덧 서녘 하늘에는
노스탤지어의 손수건 같은 노을 한 장
말려 놓은 것처럼 얌전히 걸쳐졌다
잘못 없는 물방울도 얼려버리는
겨울의 횡포는 달의 빛이 차오르도록
끊어지지 않고 계속 이어질 것이다
눈물 젖은 낙엽이 바스락거리며

정처 없이 떠나가다 발길 닿는 곳에서
여정의 지친 몸을 달래주고 있다
차갑게 웅성거리면서 바람이 불어와
회를 뜨듯 한 점, 한 점 살을 저민다

나를 부르면서 노래하는 새

나를 부르면서 노래하는 새가 있네
저들이 사는 곳은
아마도 무당이
푸드덕푸드덕 굿하는 세상이겠네
새 떼를 가로로 널어놓고
그 자리를 바쁜 듯 서둘러 벗어났네
나를 아는 사람은 많지 않고
내가 알아야 하는 사람들은 늘어만 가네
철철 흘러넘칠 듯한 푸른 하늘 물은
내 눈동자 우물에도 가득하여
나는 하늘을 다 가지고 있기도 하지
휘파람을 꺼내 놓는 새가 날아오네
꽃은 첫 기억을 모두 향기로 토하고
그저 환한 얼굴로 바라보고 있네
밤하늘에는 많은 새들의 눈빛들이
하나둘씩 반짝반짝 빛나고 있네
별똥별을 흘리면서 우는 하늘
낙엽은 나무가 떨어뜨린 깃털이랄까?
부드러움을 간직하고 걷는 딱딱한 길
물처럼 위에서 아래로 흐르고 싶네

그대는 나를 부르면서 노래하고 있는지

난쟁이별

나는 난쟁이별,
반지름이 작고 광도가 낮은 항성이야
나는 사람들이 흔히 이별하고
작별하는 그런 평범한 별이 되고 싶어
내 이름 앞에 보란 듯이
떡하니 붙어 있는 난쟁이가 싫어
드물게 나를 아름답게 생각하는 사람들
별빛을 덮은 모자를 벗고 싶은데
그럴 수가 없어서
어둠 속에 잠수하고 있는 날이 많아
밤바람만 을씨년스럽게 차갑고
소리 없이 다가오는
달님, 달님, 밝은 빛을 가진 저 달님
가면 갈수록 조각조각 찢어지는
가엽기만 한 빛
네 마음을 검색하면 나를 알 수 있을까
그들은 어느 곳에서 나를 그리워하나
아프리카 같은 밤과 불어오는 바람
내 앞에 있는 난쟁이가 빛을 내고 있어
도저히 이대로 살아갈 수 없는 거야

사랑이 어긋나는 눈빛
여기까지 도달하려면 아직 멀고 멀어
마음속에 심었던 사랑을 뽑는데
송두리째 뽑혀 나가고

겨울나무

초라했던 어린 시절처럼 보잘것없는
겨울나무 한 그루를 바라본다
발라 먹은 생선 가시 같은 그 나무에
새 떼가 날아와 열매처럼 앉아 있다
말랑말랑한 홍시가 되어
떨어지기 직전에 따 먹고 싶은 것이다
인적이 드문 산 가까운 곳이다
온갖 상처 같은 구름 말끔히 걷혀
기분 상쾌할 정도로 화창한 하늘 아래
밀입국을 시도하는 몹시 차가운 바람
징검다리 건너듯 이 잠 저 잠 설친
지난밤을 잊어버리고 싶어서 걷는다
가물어서 하늘 물도 마르고 있다
저러다가는 바닥이 드러날 것인데,
애드벌룬처럼 열매를 띄우고
다시 앙상해지는 겨울나무 한 그루

거금도 송광암 느티나무

내 고향 거금도 송광암 느티나무는
입구에 늠름하게 서 있어서 절을
지키는 듯 든든해진다
전통 사찰 송광암의 역사와 함께 자란
듬직함이 새소리로 들려오고 있다
구름은 약수처럼 흘러가고
조용히 합장하면서 불어오는 바람결
용두봉 산행의 땀방울을 끌고 간다
온화한 미소처럼 햇살 꿈틀거리고
하나의 구름과 또 다른 구름이
서로 부둥켜안는 듯 천천히 포개진다
수백 년 동안 그 자리를 지키면서
새의 목소리로 지저귀었을 느티나무
주름진 노승의 마음처럼 맑고 맑다

반짝거리는 별 떼의 시간

번개가 번쩍하는 순간
한 그루 거꾸로 서 있는 앙상한 겨울나무
반짝거리는 별 떼의 시간을
가리고 잠시 침묵을 지키고 있다
그것들은 등급을 가지고 있어서
개중에서도 특히 밝게 빛나는 것이
눈동자가 제집인 듯 하나둘씩 들어온다
경쾌하게
단 한 번이라도 웃지 못한 시간들이
무척이나 아쉽기만 한데
별똥별이 떨어지면 행여나
적막 하나 줍지 않을까, 서성거릴 것이다
그늘에 파고든 무수한 반짝거림
냅다 부려 놓을 말이 참 많기도 하다
한 발, 한 발, 또 한 발
번개의 뿌리를 삽으로 팔 수만 있다면
화분에 심어 놓고 싶기도 한데
언제라도 뽑아 없애고 말겠다는 사랑
손길을 잊고 한창 말라가고 있다

저수지 낚시

저쪽 기슭에 앉아 있는 낚시꾼에게
닿으려면
얼마나 길고 질기디질긴 낚싯줄이어야 하나
심란한 표정으로 햇살 드리운 해가
아침부터 내내 내려다보고 있다
철새 떼 지저귀면서 내려앉고
깃발처럼 쉼 없이 펄럭이는 날개
팔팔한 기운이 철철 흘러넘치고 있다
섞이고 섞여 걸쭉하게 반죽이 된 물빛
가뭄에 거북이 등처럼
쩍쩍 갈라진 마음 부둥켜안고
이리저리 헤매는 깊은 수심의 민물고기
쏜살같이 빠르다, 서성거리던
바람이 지루한 듯 멀어져
고요함이 자리 잡고 앉아 낚시찌만
지그시 바라보고 있다
어느덧 해가 서산으로 성큼 기울었다
미끼를 덥석 물기라도 한 듯

강물 위에 쓴 시 카페

전라남도 나주시 남평읍 강변1길,
하늘 강 구름 흘러가듯
강물 위에 쓴 시 두둥실 흘러간다

겨울의 문을 열고 들어서자마자
차디찬 생각 물밀듯이 밀려오기도 해서
드들강 징검다리 건너려다 말고
강물 위에 쓴 시 카페를 바라보고 있다

내 감성 어디로 달아났을까,
내내 생각해 보아도 오지 않던 감성이
드들강이 바라다보이는 창가에
홀로 햇살처럼 앉아 여유를 즐긴다

쪽지 한 장처럼
유리병 속에 시를 쓴 종이를 넣고
드들강에 빛바랜 낮달처럼 띄우는데
구름이 시가 되어 두둥실두둥실
마음도 따라서 떠가는 시간

어느덧 겨울 문턱 훌쩍 넘어
수제 대추차 한 잔에 담긴
그 정성을
자꾸자꾸 홀짝거리고 있다

수제 오미자차
한 잔 금세 마시더니
데인 혓바닥 늘어뜨린 저 해가
오늘따라 유난히 상큼하다

철새 관찰

남루한 지저귐을 껴입은 저 흐름의
발원지는 어디인가
괴짜의 소문을 퍼뜨리는 사람들의
입으로부터 흐르는 것은 아닐 터!
꽃도 피지 않고 잔가시가 돋아난다
난파된 바람이 떠밀려 온 수면 위
일렁거리는 날갯짓이 일제히 멈춘다
새소리 끝도 없이 넘치는 냄비
고립된 눈빛만이 흘러가지 못한다
자유롭게 날아다니는 저들의 세상은
오직 지저귀는 것 하나로 시작해
지저귀는 것으로 하루를 마무리한다
날개 퍼덕이는 소리 심어 놓은 듯
계속해서 죽순처럼 자라나고 있다
잠 못 잔 듯 기분 서늘한 하늘
자꾸만 머릿속에서 벗어나려는 생각
모자이크로 하늘에 얼룩이 진다

거금도여, 오늘도 너의 바다를 들춘다

거금도여, 고향 마을 너머 바닷가
그 마을 조용한 민박집
방에 담겨 푸른 파도 소리 들으며
자장가 삼아 단꿈에 젖었었다
철썩거리면서 어깨춤 잘 추던 고향 섬
간절한 기다림으로 뱃고동 울린다
만년필 잉크처럼 그리움 마르기 전에
또다시 안기고 싶어라
아아 고래 등처럼 편안한 섬이여,
절망을 품고 있다면 낚시질로 낚으면 되리
까마득한 시절 고향을 떠나 정이란 정은
모두 떼어 놓은 것 같아도
다그치듯 철썩거리는 고향의 정
매생이 한철이라도
내게는 사시사철 머물고 싶은 곳
섬 어디를 가나 머뭇머뭇 멈춰 서서
바람인 듯 간절히 속삭이고 싶은 것이다
바다 한 칸 일등석처럼 물고기 잠수하고
몽상을 지우려고 구름을 치우는
하늘빛 짭조름한 바다 향 물씬 난다

거금도여, 오늘도 너의 바다를 들춘다

거금도 중화요리 무등반점

전라남도 고흥군 금산면 거금중앙길,
거금도 중화요리 무등반점
그 이상 더할 수 없을 정도로 최고의 맛
등급이나 차별이 없어
무등(無等)에 반점(飯店)인가

적대봉 산행 후
허기진 배를 채우려고 맛집을 찾다가
짜장면 후루룩 탕수육 쩝쩝
끼니만 때우는 간단한 것 같아도
그리 간단한 것만은 분명 아닐 것이다

왕짬뽕 주문하고
잠시 한숨 돌리기도 전에 나온 것은
그렇다 치고
놀라운 이 맛은 어디에서 오는가

너무 놀란 나머지
깐풍기 돌리고 환풍기 먹을 뻔!

겨울 길

애태울 것 하나 없이
모두 마른 겨울 들녘이 바라다보이는
외진 길을 외돌토리로 걷는다
닿을 수 없는 그 사람 마음처럼 높이
떠 있는 구름이 둥실거리고 있다
자꾸만 구름과 구름 사이로
빗나간 햇살이 포근하게 내려온다
서정적인 분위기가 느껴지도록
푸르디푸른 하늘빛은 얼어버린 듯
물 흐르는 소리 전혀 들려오지 않는다
가끔 새들의 부리에서 졸졸 새어
흘러나오는 울음소리는 노래이던가
작은 돌을 집어 저수지 수면을
파문으로 헤집어 놓아도 금세 잠잠해
따분함이 깊이 잠기지 않는다
땅바닥에 뒹굴뒹굴하는 마른 낙엽이
바스락바스락 뒤척거리지만
아는 척도 않고 돌아오는 겨울 길
저녁노을 한 잔 진하게 마시고 있다

허브의 여왕, 로즈메리

서성이는 향기에 문득 로즈메리 허브의 여왕
희망의 햇빛 따라 향기가 우러나와
자라난 크기가 높고 바다의 이슬 영롱해

달

밤새 빛으로 엽서를 썼는지, 창백하다
빛바랜 저기 저 낮에도 나온 달
마음에도 빛이 있어 사랑을 꿈꾼다
별 단추를 채우고 책상다리로 앉은 달
끄적거리는 듯 쓰고 또 쓰던 엽서 한 장
하루살이 같은 하루가 지나가고 있다
엽서를 쓰던 달빛 안부가 그리운 듯
단풍 진 시린 언덕에 올라 배회하는데
막다른 골목 끝까지 순찰하던 바람
어느새 기진맥진하여 산산이 조각나
낡은 낙엽처럼 뿔뿔이 흩어진다
달 한 잔 비워질 때마다 채우는 사랑
그림자 같은 밤을 지새우면서도
너를 향해 굽이굽이 미소가 흐른다
동구 밖까지 마중 나간 새벽잠이
느릿느릿 거북이걸음으로 돌아온다

허황한 꿈

허황한 꿈만 풍랑에 좌초되고
이글거리는 해가 놀리듯
햇살을 길게 내밀고 있다, 떠나는 바람
어딘가에 간절한 기다림이 있는지
한동안 추위와 함께 수면에
일렁거리는 기다림이 피곤해 보인다
외로움도 모르고 떠돌아다니는
바람의 목적지는 딱히 없는 것 같은데
멍들 정도로 시린 바다는 마음을 낚아줄
낚시꾼을 학수고대하면서 기다린다
수평선으로부터 쉬지 않고
달려오는 파도의 거친 숨소리를 듣고
길게 내민 섬의 혀 같은 방파제 끝에
오래오래 나무 한 그루처럼 서 있었다
마음에 수평선 한 줄 그어놓고
떠난 사람 얼굴이 차디찬 기억 속에
용접이 되어 끈질기게 달라붙어 있다
정든 바닷가에 서 있으면 파도가 쳐
마음이 한순간에 침수될 것만 같아도
멀어지지 않는 꿈을 가지고 있기에

겨울 빗속의 향수

그리움을 감추려고 애써 돌아앉은
먹구름이 결국 흐느끼고 있다
낚시꾼은 낚아 올리기도 버거운지
그저 낚시찌만 물끄러미 보면서
기차처럼 기적이 달려오길 바란다
하루에 수만 수천 번 철썩거리던
그리움도 뱃고동에 물거품처럼
사라져 눈 씻어도 보이지 않겠지만
겨우 건져 올린 침묵마저도
갈기갈기 부서져 삼킬 수 없다
비는 추적추적 돌아앉기를 반복하며
꽁꽁 얼어버린 애간장을 녹이는데
꼬박 하루 이틀이 금세 걸릴 것 같다
갈매기는 몇 번이나 곁을 차지하려고
끼룩끼룩 울면서 주위를 맴돌지만
다 식은 마음 거저 줘도 안 받는
사람이 한둘이 아니기에 마음을 거둬
그 자리를 말끔하게 치우고 나서
빗소리로 구시렁거리는 하늘을 본다

교촌치킨 고흥점

전라남도 고흥군 고흥읍 신계학림길,
겨울비 추적추적 적시는 그 거리
바삭바삭 튀겨진 닭이
파닥거리는 교촌치킨 고흥점이 있다

닭 날개 옆구리에 하나씩 달고
꼬끼오 구슬피 울면
정말 닭이라도 된 듯 사람이 그리울 것 같다

닭 다리 하나 쥐고 뜯으면
놀란 닭이 후다닥 뛰어다닐 듯하여
구름 띄운 하늘 한 잔 홀짝거린다

프라이드와 양념
반반으로 나누어져 포장된 치킨이
마음을 사로잡는 날

오늘이 바로 그날이다

겨울에 피는 눈꽃

황량한 겨울날에 환하게 웃어주니
소박한 정이라도 한 움큼 주고 싶다
영원히 녹지 않는다면 마음속에 넣으리

윤동주 시인의 언덕

서울특별시 종로구 창의문로, 청운동에
별 하나 빛나는 윤동주 문학관 뒤편
윤동주 시인의 언덕은 분주한 자동차처럼
삶에 찌든 피곤함을 벗어버릴 수 있는 곳
밤하늘에 그대 자리 반짝이고 있어
윤동주 문학관 옆 계단을 올라
시인의 언덕에 억새처럼 선선한 바람
따끔하게 맞으면서 발길 머무른다
한눈에 들어오는 삶
그 언저리에는 저마다의 사연이 꿈틀거린다
달에 가득 차 땅 아래로 흘러넘치는 빛
앉으면 안아줄 것 같은 넉넉한 벤치
한적한 곳의 억새 한 줄기를 바라보는 듯
철새 떼처럼 곳곳에 내려앉아 지저귀는
시의 구절이여, 시의 구절이여

오류동 역에서 항동 철길 걸어 푸른 수목원으로 가는 겨울바람

오류동 역에서 항동 철길 걸어
푸른 수목원으로 가는 겨울바람
우리나라 최초의 역인 오류동 역에
한동안 머무르다 보면 문득
해를 떠난 햇살이 포근한 기적을
아주 가끔 애타게 울리고 있다
구름도 쉬엄쉬엄 쉬어 가는 과거의 길,
걸으면 시간 여행이라도 하는 듯
굴뚝 연기처럼 정겨움이 피어오른다
옛 주막거리에서 거나하게 한잔하고
철 지난 단풍빛 물감처럼 번진 얼굴로
흥얼흥얼 노래를 부르고 있다
서울 최초의 시립 수목원인 푸른 수목원
하늘이 맑게 갠 얼굴로 하품하는지
구름이 뭉게뭉게 새어 나온다
불어오는 박자에 고개 끄덕이면서
장단을 맞춰 주는 식물들이 앙증맞다

사랑의 열매

이토록 아름다운 열매가 어디 있나
복 중에 행복만큼 다정한 복은 없다
심리가 더할 나위 없이 착하기에 정든다

시골 장터의 맛, 녹동 국밥

전라남도 고흥군 도양읍 녹동중앙길,
시골 장터의 맛으로 손꼽히는 녹동 국밥

따끈따끈하게 속 데워주는
국밥이 생각나는 겨울 이맘때
한우 소머리로 끓인 국밥 한 그릇

김 펄펄 나는 국밥을 호호 불어 먹는다

군더더기 없이 깔끔한 맛에
너도나도 맛보고 가는 맛집

모락모락 피어오른 김이
하늘까지 닿아
구름이 뭉게뭉게 떠다니고 있다

노을 한 짐

겨울비 두리번거리더니
어느새 서녘 하늘에 노을 한 짐
언제 철퍼덕 부려 놓았을까

붉어진 얼굴
어디 내놓기 부끄러울 텐데,

차오르던 하늘 물 금세
온데간데없이 줄어들어
황량한 그림자만이 드리워진다

물고기 한 마리처럼
빛 펄쩍거리면서 헤엄치는
으스러진 달
뭔가 생각난 듯 떠오르고 있다

전주 한옥 마을

한옥집이 꽃인 듯
한옥집과 한옥집 사이로 난 작은 길을
비단 한복 입고
나비처럼 나풀나풀 걷는 여자들,
담장 아래 쪼그리고 앉아
돌멩이 다섯 개를 주워 든다 어린 시절
추억을 던지거니 받거니
하면서 참새처럼 한동안 재잘거린다
멀리서 불어와 그 모습을 지켜보는 바람
부드러운 머릿결이 순간, 찰랑인다
한복을 입고 한옥 마을 거리를 누비면서
이곳저곳 구경하느라 눈길이 바쁘다
돌담에 기댄 햇살이 따사롭기만 한데
골목길을 선비처럼 걷는 고양이
사람들이 보든지 말든지 의젓하다
햇살이 오늘따라
가랑비처럼 내리고 있다

한 잔의 겨울비

먹구름 잔에 가득 담긴 빗물
땅바닥이 건배하는 듯이 안개 스멀거리더니
시원하게 쭉 들이켜고 있다
저수지에 날아든 철새 지저귀는 소리
둑을 넘어 철철 흐른다, 파헤쳐진
웅덩이 거푸집에 먹구름 녹은 물을
채워 넣는 인부는 누구인가
먹구름 사이로
해가 고개를 빼꼼 내밀려고 하면
서둘러 가리는 짓궂은 장난도 이어진다
맑은 빗방울의 노래란 노래는
전부 애타도록 마르겠지만
쏟아지는 햇살의 질타는 멈추지 않을 것이다
창문에 들이친 축축한 낙서라도
지울 수 없는 사랑 때문인가
한 잔의 겨울비 아껴 마시는 동안
거친 바람은 페이지처럼 그저
웃어넘기고만 있다

거제 해금강 횟집

경상남도 거제시 남부면 해금강2길,
거제도 갈곳 해금강 횟집
세월이 고스란히 전해지는 맛의 집

회덮밥 쓱쓱 비벼 먹고
철썩철썩 칭얼거리는 거제 바다
달래주러 가는 낚시꾼

멍게비빔밥 한 그릇에
양이 안 찬 나머지
성게비빔밥 비벼 뚝딱!
허기진 배를 채운다

육수 맛이 그야말로 끝내주는 물회
고향의 어머니 맛이
혀끝에 그대로 끌려와서 닿는다

수평선에 수신되어 들려오는 이어도 해녀 숨비소리

수평선에 수신되어 간간이 들려오는
이어도 해녀 숨비소리
호이, 호이, 호이, 호이, 호이, 호이
갈매기 소리에 묻힐 뻔한 소리가 이어도
바다 밑에서 솟아올라 들려온다
동녘 하늘 샛별만으로도 반짝 빛나던
해녀들의 젖은 해녀복에서
별빛이 뚝뚝 부러지면서 떨어지고
바닷속에 씨앗처럼 들어가 해산물을
채취하는 해녀들의 마음이
숨비소리 하나로 끊어지지 않고 이어진다
섬과 섬 사이의 한 글자처럼 오가며
물질을 하는 해녀들의 소리는
바닷속에 한 번 잠수했다가 나오는 순간
갈매기 울음소리만큼 내뱉는다
저 마라도 건너 정든 수중 섬, 이어도
파도와 맞서는 해녀라는 인어여
이어도를 발판 삼아 세계 최고가 되어라

우도 해녀 식당

제주특별자치도 제주시 우도면 우도해안길,
해산물과 진한 보말칼국수에 반한다는
우도 맛집 해녀 식당

각종 해산물을 넣은 여러 칼국수와
성게비빔밥 단숨에 먹고 나서
보말죽으로 속을 달래주고 있다

성게미역국에 밥 말아
서둘러 한 끼 채우고
푸른 바다를 다리러 가는 어부

꽃처럼 활짝 피어난
문어숙회 한 접시 바라만 봐도
기가 막히게 살맛 난다

어부의 바다 한 상

푸른빛이 돌고 갯내음 진한
어부의 바다 한 상
낚시질로 건져 올린 삼치는 회를 뜨고
삭히지 않은 홍어의 참맛을 물려주고
서글프다 끼룩끼룩 울어 젖히는 갈매기
정성으로 손질한 붕장어를 굽다가
도저히 뺄 수 없어 양념을 골고루 바른다
겨울 요맘때가 딱 제철을 맞는 박대
곰소 젓갈 백반에 짜디짠 정이 스며든다
부드럽고 고소한 병어 한 마리 맛본다
뜨거운 기운이 수평선 바깥으로
철철 넘칠 것만 같은 깔끔한 매생이
청산도에 갔더니 전복장이 기가 막혀
설렜던 기억이 파도로 철썩거린다
벌교에 가면 꼬막만 유명한 줄 알았는데
가리맛조개로 끓인 탕이 또 별미라네?
해 질 녘 노을이 아름다운 와온 마을
거기에 가면 서대랑 감자랑
같이 조리는 그런 사이라고 하던데

갈등

한 사람의 마음에
또 다른 사람의 마음이 충돌한다
운석 같다
무수히 많은 자국이 생긴다
둘은 등을 맞대고 땅끝으로 가고 있다
오늘의 해는 진행이 더딜 듯한데
번개가 번쩍인다
환생은 타다 남은 재가 될 것인가
거울 속
두 사람 사이에 꽃병을 놓는다
까치밥을 먹다 말고 사랑을 옮기는 까치
겨울 거리를 적시는 비
땅바닥은 기꺼이 손수건이 되어
구름의 눈물을 아무 표정 없이 닦는다
아직 사정거리 안이다
상처는 서서히 아물어 간다
칡과 등나무가 얽히고설키더라도
꽃은 피어난다

오동도 등대

오동잎을 바다에 살포시 띄운 듯한
여수의 오동도에 있는 등대는
추운 겨울이면 동백나무에 질세라
휘황찬란한 빛을 마구 발길질하고 있다
동백나무는 수십 개의 램프를 달아
붉디붉은 빛을 하품하듯 뿜어낸다
한 권의 시집처럼 날개를 펼친 갈매기
끼룩거리면서 동백섬을 내려다본다
방파제로 이어진 길을 따라 걷다 보면
등대가 꽃처럼 피어난 오동도 등대가
저만치 한달음에 달려올 것 같은데
밤마다 등댓불 환하게 피어나고
아침이면 결국 저무는 꽃이여
바닷바람과 마주 서서 맞설 수밖에,
저 아래 대나무가 숲으로 이루어져서
터널을 만들어 놓았다
아아 곧은 정절을 지켰다는 여심화여
등댓불 환하다 도란도란 별들이
반짝반짝 빛 나누는 여수 밤바다

팔영산 능가사 겨울 연가

지난봄 팔영산 서북쪽 자락 능가사에
벚꽃이 눈처럼 내리고
올겨울 한 여자가 녹는 듯 그 길을 걸어
내 눈앞에서 사라져 갔다
그리움만 남아 한동안 향기 가시지 않아
능가사 법당에 부처님처럼 가부좌를
틀고 앉아 끝까지 버티고 있었다
그녀의 꽃내음이 정류장인 듯
잠시 정차했다가 붙잡기도 전에 출발하고
그렇게 그녀의 향기를 놓치고 말았다
그녀를 위한
작은 공방을 마음속에 차려놓고
기다림 끝에 서녘 하늘에는 노을이 지고
이윽고 보란 듯이 달이 기울고 있다
가까운 바다는 제 마음을 열어젖혀
개펄이 다 드러나 있었다
그녀를 닮은 연꽃으로 따끈따끈한
차 한 주전자를 끓여 마시는 동안에도
그림자도 어슬렁거리지 않았다
바람의 마른기침 소리만이

비구의 호통처럼 간간이 들려오고 있다

장봉도 바닷길 식당

인천광역시 옹진군 북도면 장봉로,
옹암해수욕장 드넓은 바다를
마당처럼 앞에 펼쳐 놓은 바닷길 식당

건강한 섬, 장봉도의 맛은
복 많은 전복보다
소라라고 입소문이 자자하다

쫄깃쫄깃해 입맛 사로잡는
소라를 넣은 비빔밥에
수저가 멈추지 않고
연신 입으로 떴다 내려앉는다

인심 좋기로 이름난 장봉도 바다가
머뭇머뭇하지 않고 선뜻 내놓은 소라

파도라는 바다의 혀도
맛을 보려고 하는지
자꾸자꾸 철썩이고 있다

고흥 죽산재에서

전라남도 고흥군 동강면 원유둔4길,
노산공원 입구에 있는
죽산재를 찬 겨울바람과 함께 바라본다
월파 서민호 선생의 민족정신을
고스란히 느끼고 싶어서일까, 바람도
사뭇 표정이 진지해져 포근하다
서민호 선생의 아버지 서화일 선생이
서재로 쓰고자 지었지만, 그 뜻을
채 이루지 못하고 구름처럼 세상을 떠
아들 서민호 선생이 그 뜻을 이루어
부자간의 친근함이 엿보인다
죽산재 앞 층층대에 우두커니 서 있으니
전라남도 지정문화재의 소중함이 느껴
다시금 마음이 여유롭고 넉넉해진다
유자즙 같은 햇살에 문득 올려다본 하늘
큰 구름 뒤에 작은 구름 서넛 따라간다

대구 발빠닭 상인동점

대구광역시 달서구 월배로46길,
발빠닭 상인동점

발바닭이 아닌
강하게 발빠닭이라서 그런지
진한 맛의 감동이 안개처럼 스며드는 곳

구름처럼 뼈 없는 닭발
먹다 보면
그 맛에 비처럼 젖어 든다

앞뒤 양옆으로
여러 음식점이 떡하니 버티고 있지만
아무리 그래도 여기 닭발

뼈 없으니
한번 먹어 보면 알 것이다
제대로 된
이 맛!

겨울 강

모자이크처럼 덕지덕지
하늘로부터 떼 지어 날아든 철새
울음소리 시끄러운 나머지
오늘은 얼음으로 귀를 틀어막았다
날이 너무 추워서 계절을 타는 시기
햇빛도 그대로 얼어버릴 것 같다
푸른 하늘 구름 편지지 몇 장,
편지라도 쓰려고 몇 자 끄적이다
이내 서녘에 기대 눈시울 붉어진다
낙엽 바스락거리다가 조용하다
어느새 녹아 흐르는 시린 강물에
눈물마저 흘려보내고 싶은데
백지로 남긴 구름 편지지 어쩌나
종이비행기라도 접어 날려 보낼까?
강물처럼 정처 없이 흐르고 흘러
마음 강가에 다다를 수 있도록

섬의 정원

파도가 철썩거리면서
모래를 읽는 섬에 정원이 있다
우주에도 파도가 치는지
달이 깎여 나가고
정원 저편 바다에는 별똥별이
떨어져 수면 아래로 들어가
깊은 겨울잠에 빠져들려고 한다
발등을 쓰다듬는 달빛
꽃 피는 섬은 울컥, 향기를 흘린다
혼자 서서 외로운 나무보다
둘이 어깨동무하는
연리지가 더 아름다워 보인다
겨울은 해가 뜨고 지는 각도가 짧다
처음은 익숙하지 않더라도
깊어져 가면 갈수록 적응이 된다
달이라는 저 까마득한 섬에도
눈시울이 붉은 동백꽃이 피어날까
구름의 소문이 빗소리로 들린다
섬에 꽃이 가득하여 향기가 넘치고
날개 없는 바닷바람이

수평선으로부터 불어온다

폭설

눈구름을 대패로 깎은 듯한 가루가
하염없이 떨어지고 있다
금세 땅바닥에 놓인 화선지 한 장,
백지장도 맞들면 낫다고 하는데
발자국만 남기고 떠나가는 사람들
하늘은 결국 어린아이처럼 펑펑 운다
화선지에 수묵화가 그려졌는걸?
지문처럼 눈 위에 찍혀 남겨진 발자국
눈 아래 파묻힌 눈은 흠뻑 젖은 눈
그가 발목을 심으면서 걸어가고 있다
눈 녹은 물이 눈동자에서도 나온다
사랑을 떠나보내고 날아가는 외기러기
눈 그치면 이 울음터는 녹아내리고
펑펑 낭비하더니 하늘도 가난해졌는지
눈 몇 어슬렁거리다 어느새 돌아간다
그 사람 생각을 금세 지워 놓았다
눈밭에서 눈 이불 덮고 한숨 자야겠다
당신의 마음 주머니에 나를 넣는다면
내 눈동자는 한없이 녹지 않을 것이다

여수 대형 수족관

어쩌면 이 수족관은 메마른 세상을
적셔줄 작은 바다인지도 모른다
절정으로 바다를 노래하는 가오리
송사리처럼 작은 물고기가 떼 지어
부지런히 몰려다니고 있다
부모를 따라나선 아이들은 두 눈이
튀어나올 것처럼 휘둥그레지는데
횟감이 떼로 다닌다고 혀를 내두른다
갇힌 삶이라도 매번 쳐다보는 눈길
그리 싫지만은 않은 듯
가벼운 몸짓으로 뻐끔거리고 있다
한 끼 때우기도 힘든 시기라서
가까운 곳에 먹이라도 없나!
수심의 바닥을 핥으려는지 내려간다
아가미를 움직이는 몸놀림이 빨라
바다에서 수족관으로 유배됐다는 것에
실로 어마어마하게 놀랄 일이다
별다른 일은 들여다보이지 않는다

눈 이불을 펼쳐 놓은 바깥으로 들어가

간밤 바깥은 눈 이불 펼쳐 놓았다 그래,
이불 덮고 드러누운 땅바닥
마음에 낙엽이 깔린 듯 바스락거리고
빈 나뭇가지마다 옥신각신하며
수줍은 듯 가련한 얼굴로 피어나는 눈꽃
저기 찬 가죽 잠바를 입은 바람이 온다
멀지 않은 곳에 나무처럼 서 있는 사람
영혼을 뒤흔드는 듯 눈동자에 빛이 난다
눈 이불을 펼쳐 놓은 바깥으로 들어가
한 잔의 여유를 즐기고 싶기도 한데
해 질 녘 단풍처럼 염색하는 서녘 하늘
기억 한 줄기 햇살처럼 포근해진다
구름 징검다리 건너듯 날아가는 철새
달력 한 장, 한 장 눈 녹듯 녹아들어
어느덧 한 장도 절반이 훌쩍 지나간다
거리마다 눈 모자를 쓰고 앉아 있다
눈 덮인 산 위에 구름이 무척 한가롭다

남평도서관

전라남도 나주시 남평읍 남평3로,
남평도서관은
바로 옆 남평초등학교 운동장에서
뛰어노는 아이들의 소리만을
비치하는 것은 아마 아닐 것이다
구름이 그 소리를 두둥실거리는 동안
해는 동쪽에서 서쪽으로 기어간다
뼈대만 남아 새들이 열리는 겨울 느티나무
초등학교와 도서관 사이에 서 있으면서
아이들의 소리를 틈틈이 대출해 간다
찬 바람이라는 손으로 펼쳐 읽는
지난여름의 푸름을 울컥, 토해 놓는다
책이 자석처럼 끌어당기는
아이들의 마음을 다는 모르더라도
그 눈빛만으로 사서 선생님의 다정함을
겹겹이 껴입고 등교할 것이다
이 도서관에서 남평 아이들은 꿈과
희망 그리고 행복을 차근차근
마음에 눈처럼 소복이 간직하고
다시 세월이 지나더라도 기억할 듯!

하늘에 날갯짓하는 남평 아이들의 웃음
지저귀는 소리가 푸르고 푸르다

난파선

사나운 바다의 배경을 가리고
해안가에 모진 세월이 떠밀려 왔네
닻을 내리기도 전에 성난 파도에
갈기갈기 부서져 온몸 상처투성이로
성한 곳이 단 한 군데도 없네
애써 슬픔을 지우려고 어둠을 부르고
별빛으로 애태우듯 반짝거리네
외면하지 않고 날개로 덮는 갈매기
시래기처럼 바닷바람에 바짝 마르네
세월에 한 층 무게가 더해지고
중심에서 가장자리로 떠밀려 온 설움
짜디짠 그리움만 철썩거리고 있네
눈물처럼 별똥별이 떨어질 것 같은 밤
한 치의 망설임도 없이 다그치네
개펄에 처량히 고개를 처박은 닻으로
쟁기질이라도 할 수 있으면 좋겠네
항해하던 기억마저 지워질 것 같아서
세월 가까운 곳에서 미끼를 던지네
흐르고 흘러도 아름다웠던 시절
되돌아보면 그리움의 정원에 피는

소금꽃이 제철을 맞아 싱싱하네

담양 메타세쿼이아 가로수길

순창에서 담양으로 이어지는
담양 메타세쿼이아 길
그 길을 차디찬 바람의 손을 잡고
함께 걸었었다
하늘은 구름을 언제 인양했는지
입김처럼 두둥실 떠 있었다
길 따라 트레킹을 즐기는 사람들
구름에 얼굴을 묻고 울면 비가 내릴까
해를 떠나 내려오는 빠른 햇살
메마른 적 없는 마음이라도
한적하다는 생각이 들기도 했었다
폐선처럼 나무에 기대어 울고 싶었지만
끝내 울지 못했었다
물에 말아 한술 뜨는 밥 같은 기분
약속이라도 한 듯 바람은 모두 떠나고
홀로 메타세쿼이아처럼
우두커니 서 있기도 했었다

윤동주 시인의 언덕

발　행 | 2023년 12월 26일
저　자 | 정민기
펴낸이 | 한건희
펴낸곳 | 주식회사 부크크
출판사등록 | 2014.07.15.(제2014-16호)
주　소 | 서울 금천구 가산디지털1로 119, SK트윈타워 A동 305호
전　화 | 1670 - 8316
이메일 | info@bookk.co.kr

ISBN | 979-11-410-6204-0

www.bookk.co.kr
ⓒ 정민기　2023
본 책은 저작자의 지적 재산으로서 무단 전재와 복제를 금합니다.